© De la presente edición:
2007, Diario El País, S. L.
Miguel Yuste, 40
28037 Madrid

© 2007, Santillana Ediciones Generales, S. L.
Torrelaguna, 60
28043 Madrid

Realización: Trama Equipo Editorial, S. L.
Balmes, 176; 08006 Barcelona
Dirección: Francisco Vega y José A. Vázquez
Adaptación de textos: Núria Ochoa
Ilustraciones: Alicia Ginebreda

Corrección de textos: Javier Olmos

Diseño y realización de cubiertas: Emo

ISBN: 978-84-9815-521-1
Depósito legal: M-49735-2006
Impresión: Mateu Cromo, S. A., Pinto (Madrid)

mis primeros clásicos

Robin Hood

Un tren de valores
renfe

EL PAIS

Hace cientos de años, cuando el rey Enrique II llegó al trono de Inglaterra, quiso poner fin a las luchas entre sajones y normandos. Y para conseguirlo, pidió ayuda a dos nobles sajones de Nottingham: el conde de Sherwood y el conde de Surley.

El conde de Sherwood y su esposa tuvieron un hijo, Robert, al que todos llamaban Robin. El conde de Surley era padre de una niña llamada Marian. Las dos familias se reunían con frecuencia y, mientras los niños compartían juegos, los condes hablaban de su reino, donde las luchas parecían no tener fin.

Cuando murió el rey Enrique, le sucedió en el trono su hijo Ricardo, pero nada hacía suponer entonces que, años después, las vidas de Ricardo y Robin se unirían en una misma causa.

El rey Ricardo, por su valentía y su nobleza, muy pronto fue llamado Ricardo Corazón de León, y, como tuvo que partir de viaje, dejó Inglaterra en manos de su hermano Juan, al que todos llamaban Juan sin Tierra.

—Parte tranquilo, mi buen hermano —dijo el príncipe Juan—, que yo cuidaré del reino en tu ausencia.

Pero Juan olvidó su promesa y se dedicó a enriquecerse a costa de sus súbditos. Un día, el conde de Sherwood apareció muerto en el bosque, y su amigo, el conde de Surley, decidió ir en busca del rey Ricardo para contarle lo que sucedía en el reino. Antes de partir contó sus intenciones a otro noble, Hugo de Reinault, a quien nombró tutor de Marian.

Pero Reinault le delató ante el príncipe Juan y fue encerrado en el calabozo de un castillo.

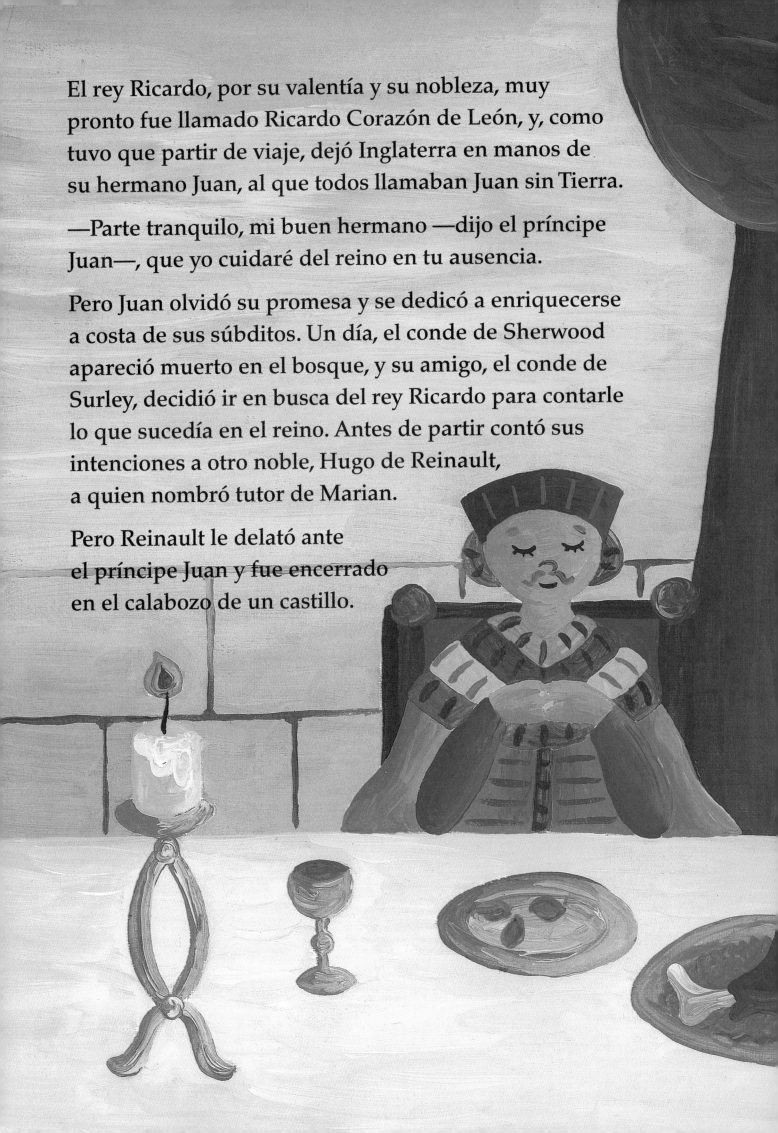

Tras la muerte de su padre, Robin fue a ver al conde de Surley y a su hija Marian, y supo que la joven ya no vivía allí.

—¡Qué extraño! —exclamó Robin.

Y luego acudió a Reinault en busca de respuestas.

—Presté dinero a Surley —dijo Hugo de Reinault—. No podéis ver a Marian.

De vuelta a su castillo, unos campesinos contaron a Robin que el señor de Gisborne había condenado a morir a uno de sus vasallos por cazar un ciervo.

—Ese vasallo tiene derecho a cazar, según lo dispuesto por el rey Ricardo —dijo Robin indignado.

De noche, Robin y sus hombres atacaron el castillo de Gisborne y liberaron al vasallo. Gisborne, Reinault y el príncipe Juan respondieron asediando el castillo de Robin para apoderarse de sus tierras. Pero Robin y sus hombres huyeron y se refugiaron en el bosque de Sherwood. A partir de entonces, Robin se llamó Robin Hood.

En poco tiempo, muchos hombres se unieron
a la banda de Robin, y pronto escasearon la ropa
y los alimentos.

—Tengo que ir a Nottingham a por provisiones —se
dijo Robin. Y se disfrazó de mendigo para ir a la ciudad.

Cuando Robin regresó a Sherwood
con las provisiones, le recibieron
sus amigos. Eran Little John, un
hombre muy fuerte, inseparable
de Robin desde que le venciera
en una pelea en un puente; Much,
delgado y bajito; y el padre Tuck,
un fraile perseguido por el príncipe
Juan por ayudar a los indefensos.

Una de las aventuras más divertidas del grupo de Sherwood fue su participación en un torneo de tiro con arco que se disputaba en Nottingham. En la última prueba Robin consiguió el primer puesto.

—¿Cuál es su nombre, joven? —preguntó el sheriff de Nottingham.

—Robin Hood, señor —respondió Robin.

Pensando que bromeaba, el sheriff volvió a preguntarle su nombre.

—Ya os lo he dicho, señor, me llamo Robin Hood.

Al darse cuenta de que no se trataba de ninguna broma, el sheriff ordenó que apresaran a Robin y los suyos, pero para entonces el grupo ya había partido al galope hacia su refugio en Sherwood.

En otra ocasión, Robin se dirigió a Nottingham y allí descubrió que los hombres de Gisborne planeaban atacar el bosque de Sherwood.

Antes de abandonar la ciudad, Robin clavó un pergamino en la puerta del castillo, con el que retaba a Gisborne a capturarle en el bosque de Sherwood.

Gisborne y sus hombres se internaron en Sherwood para apresarle, rodeados del más profundo silencio.

De repente, una lluvia de flechas cayó sobre ellos: Robin y sus hombres, desde las ramas de los árboles, les daban la bienvenida al bosque.

Había pasado mucho tiempo desde que el rey Ricardo iniciara su viaje, y todo el mundo le daba por muerto. Pero un día se supo que el rey seguía con vida, aunque estaba preso después de que le capturaran unos soldados enemigos, quienes exigían un rescate.

Así que su hermano, el príncipe Juan, se dirigió a su pueblo y dijo:

—Para conseguir liberar a nuestro rey Ricardo, se recaudarán impuestos entre todos los ciudadanos.

En realidad, el príncipe Juan no pensaba usar ese dinero para pagar el rescate de su hermano, sino para enriquecerse e impedir que Ricardo volviera a Inglaterra.

Pero la madre de Ricardo, Leonor, avisó a los amigos de su hijo de que el príncipe Juan planeaba quedarse con el trono.

Ricardo fue liberado y, al fin, pudo reunirse con sus amigos.

—Señor, tenemos malas noticias —le dijeron—. El príncipe Juan se ha repartido con sus hombres el dinero recaudado para pagar vuestro rescate. Además, han aumentado las revueltas y una banda que vive oculta en el bosque de Sherwood ataca los intereses del príncipe Juan y a sus hombres.

—¿Quién está al frente de esa banda? —preguntó el rey.

—Robin Hood, el hijo del conde de Sherwood —le dijeron.

Enterado de esta grave situación, Ricardo Corazón de León decidió volver a Inglaterra, pero disfrazado.

Marian, mientras tanto, vivía en el castillo de Hugo de Reinault, quien un día le hizo una visita.

—Querida Marian —le dijo Reinault—, el barco en el que tu padre viajaba ha naufragado. Pensando en tu futuro, he previsto que te cases con Ralph de Bellamy.

Bellamy, que era amigo del príncipe Juan, vio en esa boda una oportunidad de enriquecerse con los bienes de Marian, pero Robin Hood descubrió el plan y decidió liberar a la joven.

Robin y sus amigos asaltaron el carruaje en el que viajaba Marian, quien se quedó a vivir en el bosque de Sherwood.

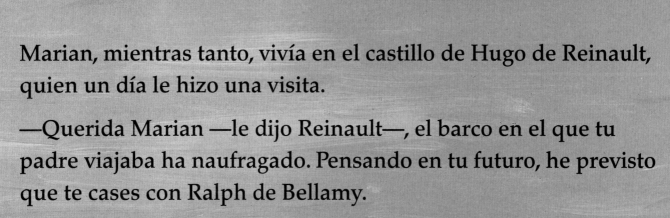

Robin Hood supo que Reinault, Bellamy y Gisborne preparaban un nuevo asalto al bosque y pensó en un plan para evitarlo, pero Much fue encarcelado junto al conde de Surley, padre de Marian, que estaba preso desde la ausencia del rey Ricardo.

—Nunca lograremos salir con vida de aquí —se dijeron.

Pero se equivocaban. Cuando Robin supo lo sucedido, planeó la liberación de Much y del conde de Surley. Uno de sus hombres conocía un pasadizo que llevaba hasta los calabozos, y esa noche Robin y los suyos entraron al castillo y los liberaron.

Cuando regresaron a Sherwood, Marian pudo, por fin, abrazar a su padre.

Sin embargo, los hombres del príncipe Juan planearon secuestrar a Marian para poder capturar a Robin cuando fuera a liberarla. Y así lo hicieron.

Robin supuso que la habrían llevado al castillo de Reinault y, cuando estaba pensando en ir a liberar a la joven, un misterioso caballero entró en el bosque.

—¿Quién de vosotros es Robin Hood? —preguntó.

—¿Quién lo pregunta? —respondió Robin.

—Ricardo Corazón de León, rey de Inglaterra —dijo el caballero.

Robin y sus hombres se arrodillaron ante su rey, quien esa misma noche les ayudó a liberar a Marian.

Después, fue el rey Ricardo quien pidió ayuda al grupo de Robin.

—Sé lo que todos vosotros habéis hecho por nuestro reino —dijo emocionado Ricardo—. Ahora os pido que me acompañéis a Londres para recuperar el trono que nunca debí dejar en manos de mi hermano.

Robin Hood y sus hombres pusieron camino a Londres y, por fin, Ricardo Corazón de León y el príncipe Juan se encontraron.

—Perdóname, hermano —dijo Juan.

—Confié en ti, pero me has traicionado —dijo Ricardo—. Vete y no vuelvas más.

A los pocos días, Robin y Marian se casaron en el bosque. Todos los hombres de Sherwood estuvieron presentes en la boda, a la que no faltó el rey Ricardo, lleno de gratitud hacia su buen amigo Robin Hood, Robin de los Bosques.